KB171919

그림시 이야기

누가 제일 좋아?

그림시 이야기

누가 제일 좋아?

발 행 | 2024년 3월 30일
글 | 박지혜·김선경
그림 | 박지혜
펴낸이 | 한건희
펴낸곳 | 주식회사 부크크
출판사등록 | 2014.07.15.(제2014-16호)
주 소 | 서울특별시 금천구 가산디지털1로 119 SK트윈타워 A동 305호
전 화 | 1670-8316
이메일 | info@bookk.co.kr

ISBN | 979-11-410-7742-6

www.bookk.co.kr

누가 제일 좋아?

글 박지혜·김선경
그림 박지혜

차례

또깡또깡 초롱초롱

기다리다

씨앗이 자라는 중예요!

여우별 여우비

벽돌

단어장 가지치기

아직

잎파랑이

팻말

섬 나무

별

구름결

초콜릿 쿠키

노랑 하양 비누

나무 두 그루

머리말

착한엄마 착한아빠께
여기까지나 함께 온 독자께

초롱초롱
그림시 이야기를
드립니다.

때로는
또깡또깡하지 않은 시간이
우리에게
주어지길 바라며

누가 제일 좋아?

글·그림 박지혜

시소

착한아빠랑 놀이터에 갔다.
시소를 타고 놀았다.

발에 힘을 주어 땅을 밀면
슈웅- 하고
앉을 때 체중을 실어 내려가면
슈웅- 하고
몸이 부웅- 하고 떴다.

웃음이 절로 났다.

내가 재밌어서 웃는데
아빠는
어째 나보다 더 밝게 웃으셨다.

재미있어서 웃던
웃음이

아빠의 표정을 보고
더 활짝
웃게 됐다.

시소를 타는 내내
웃음이 그칠 줄 몰랐다.

지금까지도
시소만 보면

착한아빠와의
웃음이 넘치는
시소가 떠오른다.

누가 제일 좋아?

착한아빠 착한엄마 큰언니 작은언니 내가
모두 침대 위에서
대치 중이었다.

내가 아기였을 때

누가 제일 좋은지,
누구에게 안길 것인지

중대한 결정권을 가지고 있는
아기가 됐다.

여기저기에서
“여기로 와 봐~”

짝짝짝!
박수를 치고 있었다.

과연 누구에게 안겼을까?

나의 속마음은
모두를 안고 싶은 마음이었다.

그래서 가운데로 직진했다.

가운데로 가면
긴 두 팔로
가족을 모두 안을 수 있겠지?

그렇게 착한엄마에게 폭 안겼다.
엄마가 정말 기뻐했다.

나의 마음을 알까,
모두를 꼭 껴안아 주고 싶었는데

내가 어린 아기였다는 사실을
그때의 난 알지 못했나 보다.

가운데로 가면
모두를 안을 수 있을 거라고
생각했던 것 같다.

그때의
마음을

이제야
표현해본다.

'모두를 안아주고 싶었어요.
모두를 사랑하니까요.'

함께

함께
매일을
맞이할 수 있어서
행복해

나도
힘이 되고 응원해주는
좋은 친구가
되고 싶어

우주
위에
위에
보다

더 많이 사랑해

토끼랑 강아지랑

글 김선경·그림 박지혜

1 토끼랑 강아지랑

때로

내가 아끼는
선물은

팔짝

서로를
놀라게 하죠

토끼랑
강아지랑

깜짝
삐끗
그날처럼요.

2 선물

선물은
뭘까요

적어도
선물은

'아!
정말
좋아할 거야.'

이렇게

생각
하고
생각
해서

마련하는
마음
아닌가요

강아지는
왜?

3 당근 아니면 포도

강아지는

도대체
왜?

당근
아니면

포도는
어때

포도도
얼마나
좋아하는데

4 우산도 필요한데

강아지는
토끼를

보나?
안 보나?

비 오는 날
우산 없어서

쫑긋
귀부터

폴짝
발까지

홀딱
젖어서

오들오들
토끼

삐죽삐죽
내 모양 …

5 그럼 저금통

그럼

저금통도
괜찮아

어떤 선물
좋을까

이것저것
어려울 때

그러면
누구는

저금통도
준다는데,

차곡차곡
모아놓고

필요할 때
꺼내 쓰게.

6 전화해서 물어볼까?

강아지는

무슨
마음으로

이런 걸
줄까?

채
식
주
의
토끼

아니,
모르니

전화해서
물어볼까?

7 곰곰 가만

토끼는
서랍 열고

다시

강아지가 준
선물

보았죠

곰곰
가만

강아지
생각했죠.

8 알콩달콩

그늘진
땅.

강아지랑
토끼랑

처음
만난
곳.

그래서

알콩달콩
단짝
되었죠.

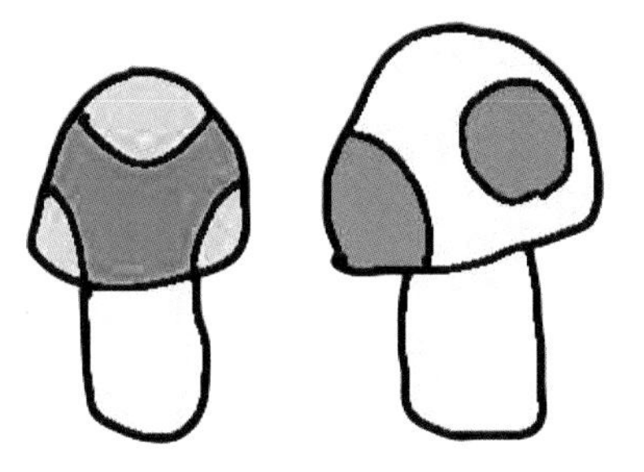

9 아주 좋아하는 것

하얀 종이
앞에 놓고

생각해
보았죠

강아지는

꼭
하나

아주
좋아하는 것
있었죠

딱
하나

가진
장난감
이기도 하고요

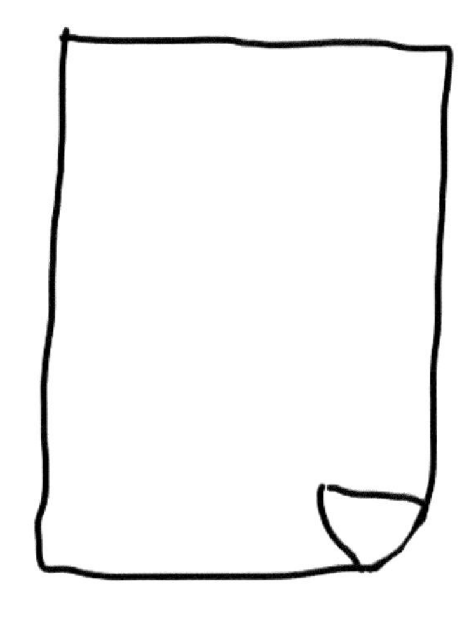

10 사과를 좋아할까?

강아지는
볼 때마다

이것 갖고
놀았죠

지금
강아지는

‘토끼가
좋아하겠지…’

뿌듯이
있을까요

‘토끼가
삐치다니
도대체 왜!’

토라져
있을까요

강아지는

사과를
좋아할까요

미안한 맘
고마운 맘

사과 선물
좋아할까요?

또깡또깡 초롱초롱

글 김선경·그림 박지혜

또깡또깡 초롱초롱

태어나서부터
지금
올 때까지

어떤 일
있었냐고

또깡또깡.

얼
만
큼

헌
데
를

풀어야
할까?

문제
어려워

답
못
맞히고

'숨어 버릴까?'

돌아왔어요.

멍!

초롱초롱

아무
일
모른 채

반가이
초롱초롱

찾고 싶던
실마리.

친구 온 날

친구
온
날

단출한
부엌살림

살뜰한
마음

친구만
읽는
날

비밀

슬픔을
기쁨으로
바꾸는

비밀.

잃은 것 아니라
찾는 중이야!

낱알
낱알
깨알 같은

기쁨
찾는 중이야!

친절

문을 열고
들어가면

친절하지 않게
대할까 봐

걱정했다고.

오늘은

만났던 이가
친절해서

안심되었다고.

그 말에

어려웠던 숙제를
마쳤네
어떻게
만날지를.

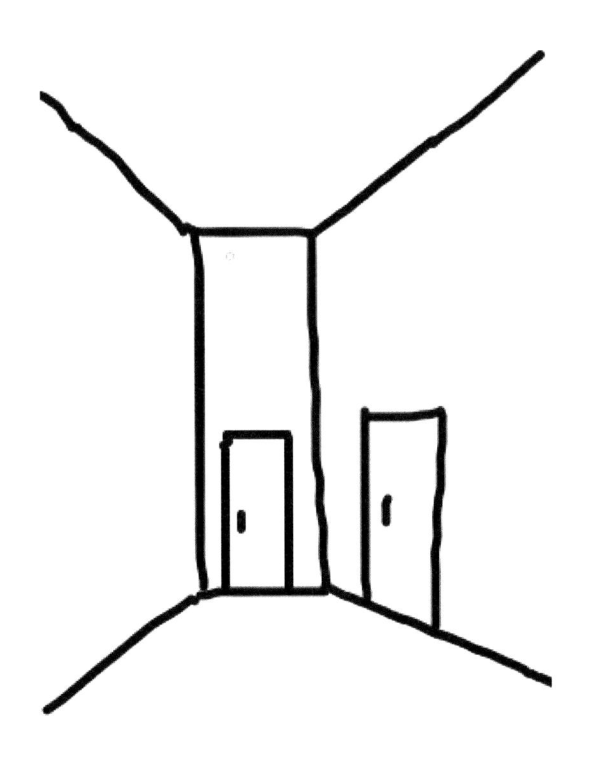

밤 일기

내일 아침에
일어나면

아침이 될까?

찾고
기다리고,

어제처럼
오늘처럼

붙박이
밤처럼

내일도
그럴까?

기다리다

통통걸음
안 되어
앞서갈 수 없어서

오뚝

설게
기다리다.

온달
지난 후

그믐밤 달
기다리다.

씨앗이 자라는 중예요!

벌써부터
심어둔

씨앗이
자라는 중예요!

흙
을
고르고

꽃
을
가꾸며

하루를
지내게 되겠죠

내일

아침에
일어나면.

여우볕 여우비

비 오고 눈 오고
그런 날

햇볕
잠깐 났다가
숨어 버리면

여우를
햇볕에
붙여

여우볕이라 하고,

햇볕 있는 날
비 잠깐 오다가
그치면

또
여우를

비에
붙여

여우비라 하고.

이렇게
저렇게

바쁘게도
부르지만

그리운
여우
마음

잠깐이
아닌걸요

처음부터
끝까지
마음인걸요.

별같이
따뜻하고

비같이
속삭속삭

여우
마음

알까요.

벽돌

벽돌집
되고 싶어
뜨거운 틀
견딜힘 모두 들여

벽돌 되어
벽돌집 들붙어
여기 벽돌집
벽돌집 벽돌.

툭

와당탕
대굴대굴

'무어 이제.'

·

·

똑똑

“짓궂이 바람 부는 데
누름돌 벽돌
되어 줄래요?”

단어장 가지치기

지어 불린
이름
고유명사
내 이름

어떻게
풀이할까?

낱장
껠
즈음

가지치기
되네

단어장
가지치기

단어장

아직

아직
꽃
피어 있고

아직
잎마다
햇볕 들고

아직

노랑
초록
옹기종기
빛,

아직
놓지 말라고

아직
힘내라고.

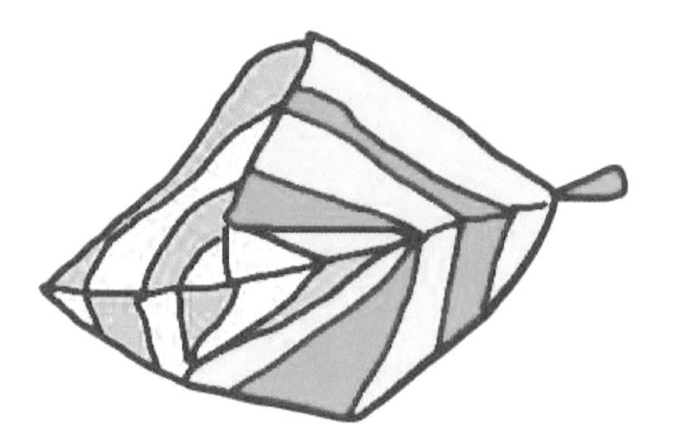

잎파랑이

나뭇잎
잎파랑이

빛에서
꿈을
받아와

영민히

마음
그리네.

팻말

팻말에
이렇게
글씨가 있었다면

‘접근 금지’

아마
가까이 오지 않으려
했겠지요

‘이쪽으로 가시오’
했다면

정말 그렇게
시키는 대로
했을 수도요.

무엇이든
힘 나는 이야기를

팻말 위
물음표 위에
써 보세요

팻말에 쓰인 글씨
의지하고 싶은 이

아마도
곧 올 거거든요.

섬 나무

오래전
뿌리내린

섬.

나무
심기어

언젠가

막다른
물때

여기
기대어
머물라고

여기
기다리며
있었다고

물길
다시
온다고.

별

저기에서

별 보려고
오도카니

서
있댔어,

내가 어서
반짝

사라지면
슬퍼할 거야
나도 같이
반짝반짝

우리 같이 있으면

잇따라 보일 거야
나도 함께
반짝

잇따라
또렷이
반짝반짝 반짝

반짝 반짝 반짝
보이는 별
빛

구름결

‘하얀 구름
빛나렴
파랗게 배경 될게.’
파란빛 하늘

‘구름도 하늘도
빛나렴
환하게 비춰줄게.’
하늘빛 햇빛

구름결
따뜻이

하늘, 햇빛
마음.

초콜릿 쿠키

좋아하는
초콜릿 쿠키

한숨에
뛰어가 주려다
부서뜨려

‘기다려주길 바라’

마음
숨겨 두고

밀을
새로 심고

마음
또 심고.

초콜릿 쿠키
주고 싶은

어설픈

외길.

노랑 하양 비누

꼭

물에
닿아야

맡은
일
할 수 있을까

비누 모양
비누 향

조금씩
없어질 텐데…

물에
닿아

녹으면

손
씻을
비누 거품

조금씩
일어

생길 거야.

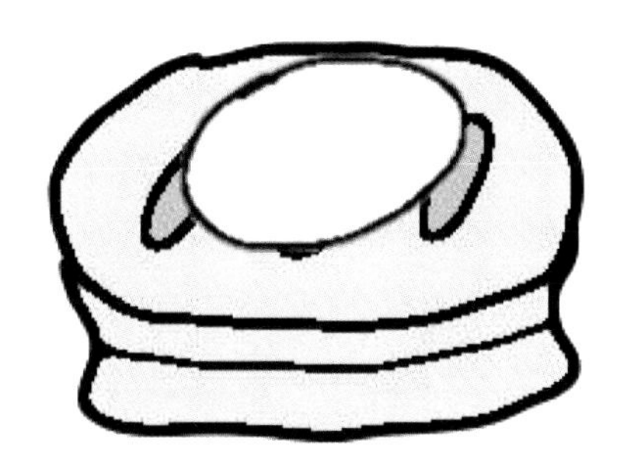

걱정
다
씻기까지

마음에
닿은

노랑 하양 비누

나무 두 그루

나무
두 그루

빛
향해

한걸음

용사처럼
자라네

벤치에서

숨을
고르는 중이에요

더
가야 하니까요

게으른 것
아니고요

꿈의 줄을
고르는 중이죠.

벤치에서
나는

내일
이맘때

달려올
나를

응원하고
기다려요.

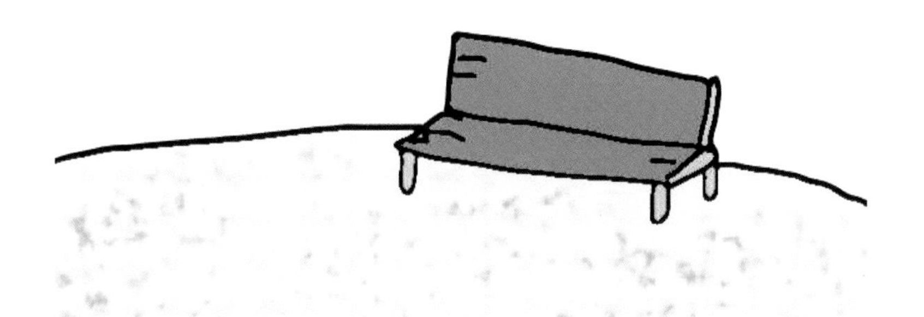

편지

걷다가 힘들 때
손잡을 이 못 찾을 때

긴 막대기 찾아
지팡이 짚고

여기까지나
왔어요.

당신이 그랬던 것처럼요.

작가의 말

호박꽃 열매

아닌 말
가만두고

열매맺이
골똘하여

호박꽃
꿈

열매 맺히다.

작가 소개

글·그림 박지혜
글 김선경

그림에
이야기시를 담아
함께 지은 책으로
『그림시79점』,『솜이와 라면』이
있습니다.

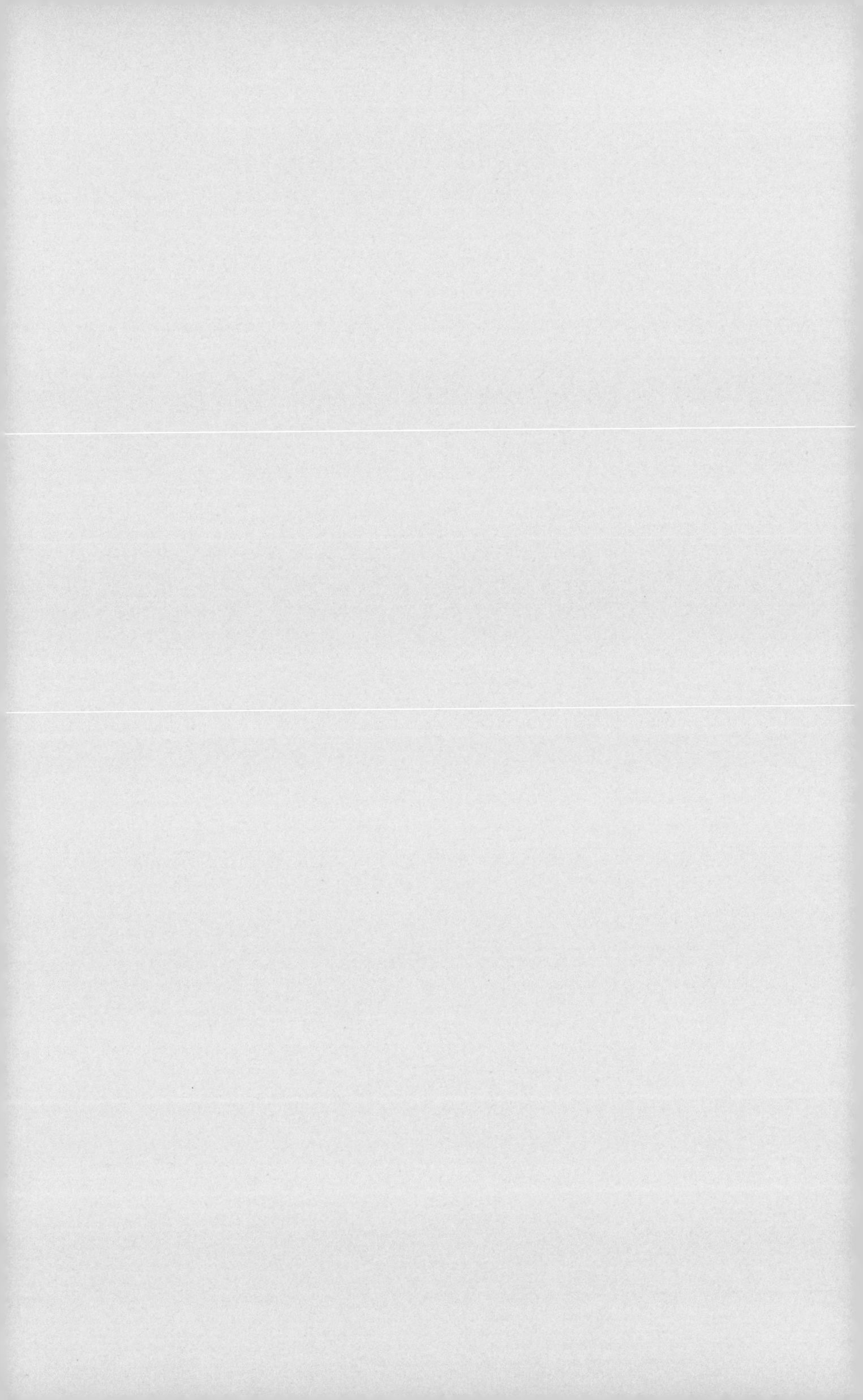